北

山海关

沈阳

张家口

雁门关

北京

渤海

银川

济南

黄海

图书在版编目（ＣＩＰ）数据

长城 / 李健编绘 . -- 乌鲁木齐：新疆青少年出版社，2015.11（2017.9 重印）
（"故事中国"图画书）
ISBN 978-7-5515-5925-6/01

Ⅰ . ①长… Ⅱ . ①李… Ⅲ . ①儿童文学—图画故事—中国—当代 Ⅳ . ① I287.8

中国版本图书馆 CIP 数据核字 (2015) 第 236761 号

First published in 2014 in English and Chinese by Better Link Press.
本书汉英对照版由上海新闻出版发展公司策划编辑。

"故事中国"图画书

长城 李 健 ◎ 编绘

出 版 人：徐 江　　　　　　　　策　划：许国萍
责任编辑：许国萍　刘立娜　　　　美术编辑：袁心笛
法律顾问：钟　麟　13201203567（新疆国法律师事务所）

新疆青少年出版社
（地址：乌鲁木齐市北京北路 29 号　邮编：830012）

Http://www.qingshao.net　　　　E-mail:QSbeijing@hotmail.com
印　刷：北京盛通印刷股份有限公司　　经　销：全国新华书店
版　次：2015 年 11 月第 1 版　　　　印　次：2017 年 9 月第 5 次印刷
开　本：787×1092　1/12　　　　　印　张：3$\frac{1}{3}$
字　数：3 千字　　　　　　　　　印　数：21 001—26 000 册
书　号：ISBN 978-7-5515-5925-6-01　定　价：38.00 元

制售盗版必究 举报查实奖励：0991-7833932　　版权保护办公室举报电话：0991-7833927
服务热线：010-84850495　84851485　　　如有印刷装订质量问题 印刷厂负责调换

绿色印刷　保护环境　爱护健康

长城

李 健◎编绘

CHISO 新疆青少年出版社

今天，小明很高兴，因为爸爸要带他去登长城了！

车窗外，长城像一条巨龙匍匐在连绵起伏的山峰上。

爸爸告诉小明："长城的长度有两万多公里。两千多年的时间里，很多帝王都曾修建、重建、维修和加固长城。今天我要带你去八达岭长城。"

八达岭长城有五百多年的历史，入口处的关城非常高大。

小明顺着台阶飞快地往上爬，当他回头时，发现爸爸还在半山腰呢。

小明顺着城墙内的道路边走边看。居高临下，视野开阔，美景尽收眼底。

不知不觉，天色渐渐暗了。

　　突然，小明看见前方有光亮。他向着光亮处走去，看见那里站着一个身穿铠甲的将军，将军的手里拿着一盏点亮的油灯。

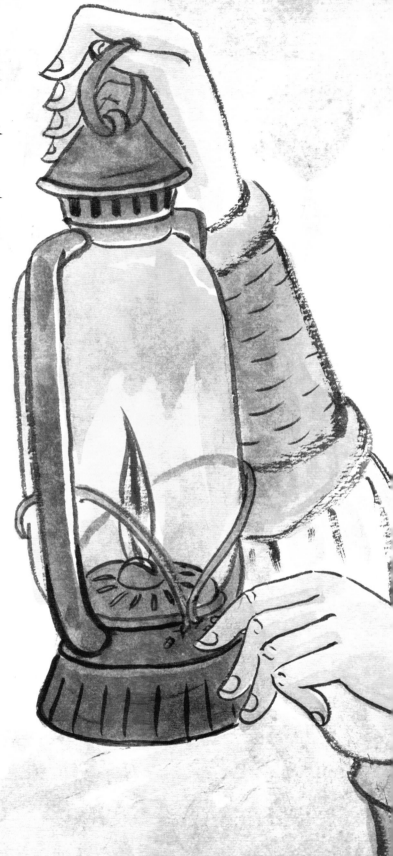

"我叫小明，跟爸爸来这里游览长城。您是谁，为什么会在这里？"小明问。

"我是守护长城的将军，正要去各地巡逻，你想跟我去看看吗？"将军问。

小明高兴地接受了这个邀请。于是，将军拨了一下灯芯。

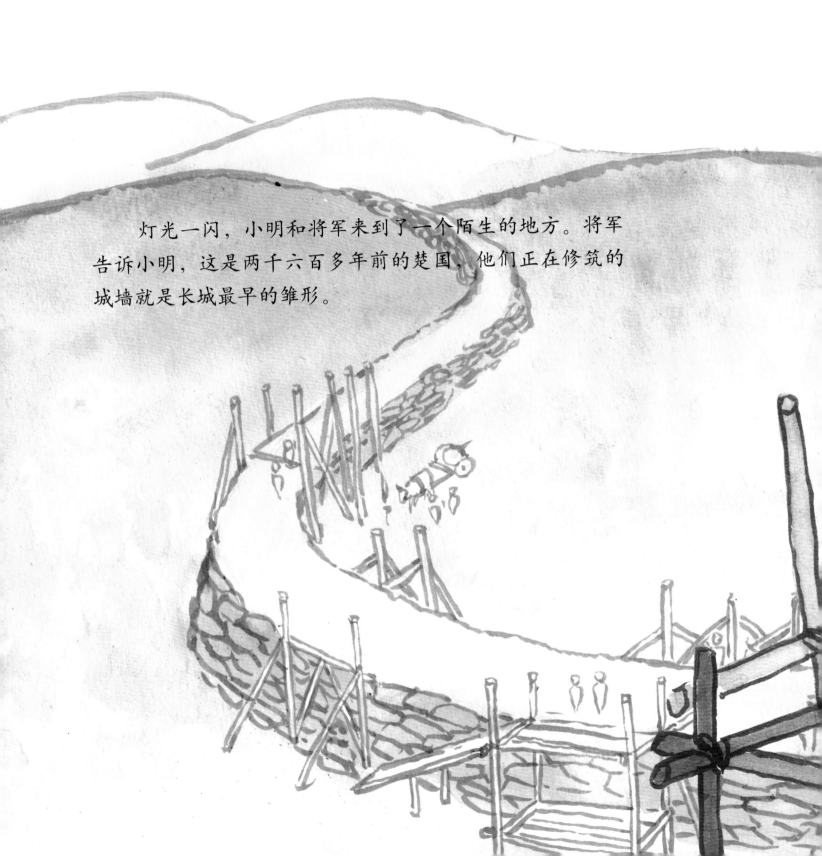

灯光一闪，小明和将军来到了一个陌生的地方。将军告诉小明，这是两千六百多年前的楚国，他们正在修筑的城墙就是长城最早的雏形。

随后，将军又拨了一下灯芯，他和小明来到了两千二百多年前的秦朝。恰逢秦始皇——中国的第一个皇帝率将士巡视长城。

他们又来到了两千年前的汉朝，那时的长城已长达一万多公里。

接着他们来到了约六百多年前的明朝，明朝是长城修建工艺最高超的时代，长城规模更巨大，更坚固。

将军带着小明去看各种各样的长城……

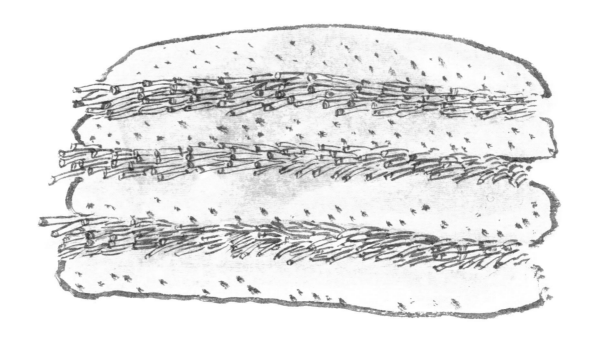

　　不同朝代、不同地方建造长城的材质差异很大，有夯土的，有砾石和红柳混合的，有砖和石头混合的……

"这真是一个大工程！"小明兴奋地说。

　　"是呀！"将军说，"仅以明代长城估算，用去的砖石如果用来铺筑一条宽十米、厚三十五厘米的道路，这条道路可以绕地球赤道两周还多呢。"

将军解释说：“战争时期，长城用来防御敌人进攻；和平时期，关城上的门则打开，长城里外变成了集市。走，咱们也去逛逛吧！”

正在这个时候，瞭望台上的士兵大喊："敌人来了！他们骑着马，有几十个人！"

"快发出信号！"将军沉着下令。

小明跟着将军快步登上烽火台，帮助将军燃起了烽火。

　　不一会儿，小明看到数千米之外的另一个烽火台也燃起了烽火。一站接一站，信号快速传递，直达皇宫。小明惊呼："太神速了！"

烽火渐渐消散，天色也暗淡下来，将军悄悄地拨了一下灯芯，对小明说："有人在找你！"

小明看到远处的爸爸在向他招手。

当他再回头时，小明发现将军不见了，只剩他一个人孤零零地站在烽火台上。

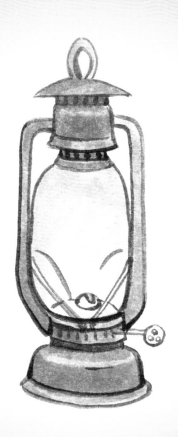

北京

库尔勒

嘉峪关

关城　　　山　　　沙漠　　　齐长城　　　秦长城

汉长城　　　明长城